Titre original :
FAIRY TAIL, vol. 49
© 2015 Hiro Mashima
All rights reserved.
First published in Japan in 2015
by Kodansha Ltd., Tokyo.
Publication rights for this French edition
arranged through Kodansha Ltd., Tokyo.

Traduction et adaptation : Vincent Zouzoulkovsky
Création d'illustrations : Claire Bréhinier

Édition française
2016 Pika Édition
ISBN : 978-2-8116-2698-3
ISSN : 2100-2932
Dépôt légal : janvier 2016
Achevé d'imprimer en France
par Jouve en septembre 2017

PAPIER À BASE DE
FIBRES CERTIFIÉES

Pika Édition s'engage pour l'environnement en
réduisant l'empreinte carbone de ses livres.
Rendez-vous sur www.pika-durable.fr

Pika
EDITION
www.pika.fr

FAIRY TAIL

49

HIRO MASHIMA

FAIRY TAIL 49 SOMMAIRE

CHAPITRE 413 : LE LIVRE D'E.N.D.

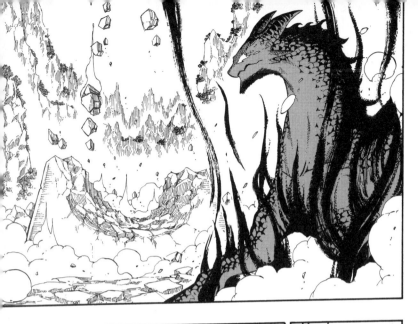

GÉNIAL
!

Bip ✱ Bip
Bip ✱
✱ ✱ ✱

OUI...

ON S'EN FOUT !

COMMENT ?

TOUTES LES FACE ONT DISPARU !

DÉTRUIT LES FACE À TRAVERS TOUT LE PAYS...

LES DRAGONS, ILS ONT...

GRRRR

NOUS AVONS EMPÊCHÉ LA RÉSURRECTION D'E.N.D...

NOUS AVONS GAGNÉ !

WOOOO

J'AI PERDU...

AINSI QUE SKIADRAM, METALICANA, ET GRANDINÉ...

BAISLOGIA EST VIVANT...

NOUS VIVIONS TOUS DANS LE CORPS DES CHASSEURS DE DRAGONS.

UNE TECHNIQUE SECRÈTE NOUS PERMETTAIT DE DORMIR EN VOUS.

OUAIS ! C'EST ÇA QUE JE VOULAIS TE DEMANDER !

EUH... ON A EU CES PALPITATIONS QUAND VOUS VOUS ÊTES RÉVEILLÉS ?

POURQUOI T'ÉTAIS EN MOI ? JE ME SOUVIENS PAS T'AVOIR BOUFFÉ !

IL Y A DEUX RAISONS À CELA...

LA PREMIÈRE, C'ÉTAIT POUR VOUS ÉVITER DE DEVENIR DES DRAGONS COMME LUI, ACNOLOGIA...

!

BAM

LA SECONDE...

BROM

JE DOIS D'ABORD ME DÉBAR-RASSER DE LUI !

FSHOU

IGNIR !

TOI, RÉCUPÈRE LE LIVRE !

FSHAAAAA

IGNIR !

PLAAAM

VOUS VOUS ÊTES CACHÉS DANS CES HUMAINS...

POUR EMPÊCHER LES CHASSEURS DE DRAGONS DE SE TRANS-FORMER...

CET E.N.D. QUE TU CRAINS TANT N'EXISTE PLUS !

QUEL EST TON BUT...

ACNO-LOGIA ?

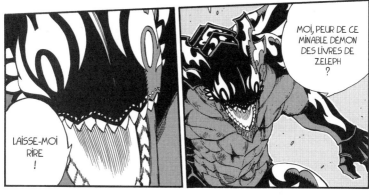

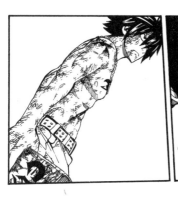

ÇA FINIT
TOUJOURS
COMME ÇA À
FAIRY TAIL...

NATSU... GREY...
CALMEZ-VOUS
!

GREY
!

IL A
DISPARU
!

C'EST
PAS MOI
!

WOUSH

!

CE LIVRE
EST À MOI...

JE LE
REPRENDS...

CHAPITRE 414 : GOUTTES DE FEU

ZELEPH !

...

C'EST LUI ?

TU AS PRESQUE RÉUSSI À RESSUSCITER E.N.D...

TU AS BIEN TRAVAILLÉ, MALD GHEEL...

TU PEUX TE REPOSER À PRÉSENT...

...

MOI, MALD GHEEL, JE N'AI PAS PU...

EXAUCER TA VOLONTÉ...

TU EN ES
INCAPABLE
!

FSHAOUM

CLAC

HÉ ! C'EST
POURTANT TOI
QUI L'AVAIS
CRÉÉ
!

EXACTE-
MENT...

WOOOOO

HEIN ?

AUJOURD'HUI, JE PENSAIS POUVOIR EN FINIR AVEC VOUS...

ET JE N'EN AI PLUS BESOIN.

VA-T-IL METTRE FIN À L'HISTOIRE, ENCORE UNE FOIS ?

OU BIEN Y AURA-T-IL UN MIRACLE ? JE N'EN SAIS RIEN...

MAIS ACNOLOGIA EST VENU TOUT PERTURBER...

SI VOUS SURVIVEZ MALGRÉ CETTE SITUATION DÉSESPÉRÉE...

ALORS...

QU'EST-CE QUE TU RACONTES ?

CE SERA À MOI DE VOUS ÉCRASER DE DÉSESPOIR.

FSHOU

SALETÉ...
IL S'EST
BARRÉ AVEC
LE BOUQUIN
!

ZELEPH...

POUR DEUX RAISONS...

NOUS, LES DRAGONS, ÉTIONS DANS LES CORPS DES CHASSEURS DE DRAGONS...

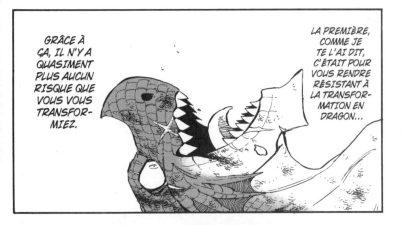

GRÂCE À ÇA, IL N'Y A QUASIMENT PLUS AUCUN RISQUE QUE VOUS VOUS TRANSFOR-MIEZ.

LA PREMIÈRE, COMME JE TE L'AI DIT, C'ÉTAIT POUR VOUS RENDRE RÉSISTANT À LA TRANSFOR-MATION EN DRAGON...

L'AUTRE RAISON...

NATSU !

C'EST POUR FABRIQUER CES DÉFENSES QUE NOUS NE NOUS SOMMES PAS MONTRÉS, PENDANT TOUT CE TEMPS.

SI ON FAIT ÉQUIPE TOUS LES DEUX, ON SERA IMBATTABLES !

AAAH !

TCHAC

OÙ JE POURRAIS DÉTRUIRE ACNOLOGIA DE MES PROPRES MAINS...

IGNIR !

J'AI ATTENDU CET INSTANT...

NATSU...

JE N'AI PAS CESSÉ DE VEILLER SUR TOI...

TU AS BIEN... GRANDI...

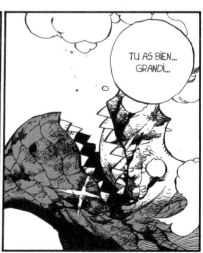

LES JOURS
PASSÉS
AVEC TOI...

ONT ÉTÉ
LES PLUS
HEUREUX
DE MA VIE
!

CHAPITRE 415 :
C'EST ÇA, LA FORCE DE VIE

LES DRAGONS NOUS ONT SAUVÉS...

JE N'AI PAS EU LE COURAGE...

C'EST AUSSI BIEN COMME ÇA.

D'UTILISER LUMEN HISTOIRE...

ÇA VEUT DIRE
QUE CE N'ÉTAIT
PAS ENCORE LE
MOMENT...

GRANDINÉ
!

VOTRE COURAGE
À TOUS ET LA
BRAVOURE D'IGNIR
ONT FAIT RECULER
ACNOLOGIA.

GÉ... GÉNIAL !

VOUS AVEZ DÉTRUIT TOUTES LES FACE ?

C'EST CLAIR !

LES DRAGONS COMME ALLIÉS... ÇA DONNE UN SACRÉ SENTIMENT DE SUPÉRIORITÉ

C'EST PARCE QUE CARLA ÉTAIT AVEC MOI !

TU AS VRAIMENT TOUT FAIT POUR DÉTRUIRE FACE...

ET MOI, J'AI VU LE DRAGON DE L'OMBRE MOURIR SOUS MES YEUX...

J'ÉTAIS SÛR DE T'AVOIR TUÉ...

LA FERME !

TU AS TOUJOURS CE REGARD MAUVAIS...

IGNIR S'Y EST TOUJOURS OPPOSÉ, MAIS...

ON VOULAIT VOUS DONNER L'IMPRESSION QUE VOUS ÉTIEZ VRAIMENT CAPABLE DE TUER DES DRAGONS.

POUR NOUS, C'EST FACILE DE MANIPULER LES SOUVENIRS DES HUMAINS.

EN MÊME TEMPS, NOTRE MORT ÉTAIT À MOITIÉ VRAIE...

NOUS SOMMES DÉJÀ MORTS.

IL Y A LONGTEMPS, NOS ÂMES ONT QUITTÉ NOS CORPS À CAUSE D'UN SORT DE CHASSEUR DE DRAGONS LANCÉ PAR ACNOLOGIA...

HEIN ?

AUCUN DRAGON...

N'ÉTAIT PLUS COURAGEUX ET N'AIMAIT PLUS LES HUMAINS QU'IGNIR !

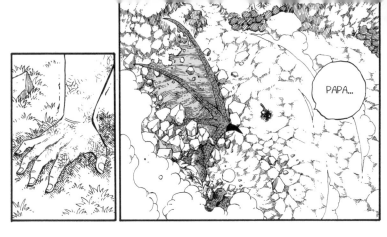

PAPA...

TU M'AVAIS PROMIS...

TIENS TA PROMESSE...

DE NE PLUS PARTIR...

J'AI PASSÉ MON TEMPS À TE CHERCHER...

SNIF

MOI...

51

ET JE SAIS MIEUX UTILISER LA MAGIE...

JE SAIS ÉCRIRE, MAINTENANT...

ET J'AI UN BOULOT...

JE ME SUIS FAIT PLEIN DE COPAINS...

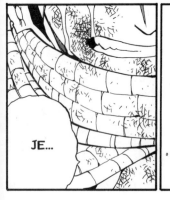

JE...

JE...

NON...

NOUS N'AVONS PAS LE TEMPS DE TOUT VOUS RÉVÉLER, L'HEURE EST VENUE...

DE NOUS SÉPARER !

POUF

NON, NE PARS PAS, GRANDINÉ !

MAIS VOUS VOUS EN SORTIREZ !

D'AUTRES DIFFICULTÉS VOUS ATTEN-DENT...

FAISONS-LEUR NOS ADIEUX LA TÊTE HAUTE !

HUMAINS !

AUJOURD'HUI, NOUS AVONS PU TRAVAILLER MAIN DANS LA MAIN...

LES COMBATS ET LA HAINE APPARTIENNENT À UN LOINTAIN PASSÉ...

C'EST À VOUS, HUMAINS, DE CONSTRUIRE L'AVENIR !

NOTRE ÉPOQUE TOUCHE À SA FIN...

JE T'AIME, WENDY...

GRANDI-NÉÉÉÉÉ !

T'AS LE REGARD MAUVAIS !

C'EST ÇA, TES DERNIÈRES PAROLES ?!

MERCI, BAISLOGIA...

SKIADRAM...

BON SANG...

JE TE L'AI APPRIS, NON ?

QU'EST-CE QUE TU DOIS FAIRE QUAND TU ES TRISTE ?

NE PLEURE PAS, NATSU...

OUAIS...

TAP

ALORS, FAIS-LE !

LÈVE-TOI

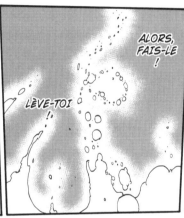

OUI...

JE SAIS...

ET VIVRE...

JE VEUX ENCORE TE VOIR GRANDIR...

OK...

JE SUIS TOUJOURS AVEC TOI...

JE L'AI ÉTÉ JUSQUE-LÀ ET JE LE SERAI AUSSI À PARTIR DE MAINTENANT...

VOILÀ...

PARLE DE
L'AVENIR...

C'EST ÇA
QUI DONNE
LA FORCE
DE VIVRE
!

UNE SEMAINE PLUS TARD.

LE COMBAT CONTRE TARTAROS NOUS AVAIT LAISSÉ DE NOMBREUSES CICATRICES...

ET CE N'ÉTAIT PAS TOUT, ON DISAIT QUE L'APPARITION DES FACE AVAIT FAIT DES RAVAGES DANS D'AUTRES VILLES...

LA VILLE DE MAGNORIA ET LA GUILDE ÉTAIENT EN RUINES...

CERTAINES BLESSURES ÉTAIENT DANS NOS CŒURS...

CHAPITRE 416 : LE LIVRE DE TARTAROS – DERNIÈRE PARTIE

WOOOOOOO

J'AI UNE IMPRESSION DE DÉJÀ-VU...

LES HABITANTS L'AVAIENT POURTANT RECONSTRUITE POUR NOUS...

NON...

ON NE VA PAS RECONSTRUIRE LA GUILDE, MAÎTRE ?

C'EST PAS DE TA FAUTE, ELFMAN...

JE SUIS VRAIMENT DÉSOLÉ POUR TOUT ÇA...

CE N'EST LA FAUTE DE PERSONNE...

PEUT-ÊTRE BIEN QUE C'EST LA FIN D'UNE ÉPOQUE...

LUXUS !

GÉNIAL ! LUXUS S'EST RÉVEILLÉ !

...

WOUAH ! MES CHEVEUX SONT REDEVENUS COMME AVANT !

FSHAA

CLIC

C'EST TROP FACILE, HOMARD !

JE SUIS SÛRE QUE ÇA T'IRAIT BIEN !

MMH ? JE NE SAIS PAS TROP...

TU ES VRAIMENT MIEUX COMME ÇA, WENDY !

MERCI BEAUCOUP, LUCY !

LUCY, TU VEUX QUE J'ALLONGE UN PEU LES TIENS AUSSI, HOMARD ?

ELLE PREND SUR ELLE, APRÈS TOUT CE QUI S'EST PASSÉ.

COMME D'HABITUDE.

COMMENT VA WENDY ?

GAJIL, C'EST PAS LA GUILDE, ICI !

RESTE PAS LÀ...

ZZZZ ZZZZ

HUM... COMME TU VOIS...

ET GAJIL ?

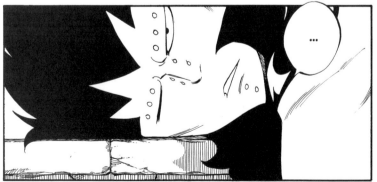

...

JE M'INQUIÈTE AUSSI POUR NATSU...

ILS ONT TOUS VÉCU UNE SÉPARATION DIFFICILE...

IL A HAPPY AVEC LUI !

HEIN ?

MOI PAS !

FOUILLE

FOUILLE

HAPPY ! IL NOUS RESTE COMBIEN DANS NOS ÉCONOMIES ?

130 000 JOYAUX !

TCH !!!

CLONG

Natsu & Happy

SI ON NE NOUS AVAIT PAS VOLÉ NOTRE COFFRE, ON AURAIT PLEIN D'ARGENT !

OUAIP...

MMH... ÇA FAIT PAS BEAUCOUP...

DE QUOI ACHETER DU POISSON POUR DIX ANS !

OUAIP !

BAH... ON VA SE DÉBROUILLER !

EUH...
M. GREY...

JUBIA... DOIT
VOUS DIRE
QUELQUE
CHOSE...

TU M'AS
SUIVI
JUSQU'ICI
?!

PARDON...
PARDON...

JUBIA
?

LE NÉCROMANCIEN QUI MANIPULAIT VOTRE PÈRE...

A ÉTÉ TUÉ... PAR JUBIA...

JUBIA PENSE...

C'ÉTAIT TOI ?

JUBIA A TUÉ...

QU'ELLE NE PEUT PLUS AIMER M. GREY...

SNIF...

SNIF...

VOTRE PÈRE...

CRITCH

CRITCH

...

AH !

TSAP

C'ÉTAIT TOI !

MERCI...

J'AI ÉTÉ TRAHIE... TROMPÉE...

HUMILIÉE...

ÇA M'A RAPPELÉ DE MAUVAIS SOUVENIRS...

J'EN TREMBLE ENCORE...

EST-CE QUE JE VAIS...

ENCORE POUVOIR FAIRE CONFIANCE AUX GENS ?

NE T'EN FAIS PAS...

TU Y ARRIVERAS !

VA DE L'AVANT... SUIS LE CHEMIN DE LA LUMIÈRE...

NOUS, NOUS SUIVONS LA ROUTE DE L'OMBRE...

POUR VAINCRE ZELEPH...

ARRÊTE DE TE PLAINDRE !

ELLES CRAIGNENT, CES FRINGUES !

TU ME DIRAS CE QU'IL LUI A DIT PLUS TARD...

IL SE LA PÈTE...

MAIS NOS CHEMINS SE CROISERONT PEUT-ÊTRE UN JOUR...

CE JOUR-LÀ, J'ESPÈRE QUE TA LUMIÈRE SERA FORTE AU POINT D'EFFACER NOTRE OMBRE...

C'EST DE L'AMOUR... ÇA...

PFF...

VA DE L'AVANT, ERZA !

JE NE TREMBLE PLUS...

ET PUIS...

AVEC LECTER ET FROSH !

HÉ ! REVOILÀ STING ET ROG !

SABRE TOOTH

MLLE MINERVA !

OUAIIIIIS

JE...

JE...

BIENVENUE À LA MAISON !

JE SUIS
RENTRÉE...

SNIF

JE SUIS
RENTRÉE
!

JE SUIS
D'ACCORD

MADEMOI-
SELLE EST
REVENUE
!

BIENVENUE,
MADEMOISELLE
!

WOOOOOW

C'EST
PAS SYMPA
DE DIRE ÇA
!

ELLE
PLEURE
!

HA HA
HA HA
!

IL VA
PLEUVOIR DES
GRENOUILLES
!

JE SAIS QUE VOUS ALLEZ VOULOIR QUE J'EFFACE LES MIENS...

...

PFOU...

J'AI EFFACÉ LES SOUVENIRS DE TOUS CEUX QUI ÉTAIENT AU COURANT, COMME VOUS ME L'AVIEZ DEMANDÉ.

HEIN ?

C'EST BON... JE TE RELÈVE DE TA MISSION...

MAIS JE SAIS QUE TU EN ES CAPABLE...

JE N'AIME PAS FAIRE ÇA...

?

AAH !

QU'EST-CE QUE C'EST QUE ÇA ?

J'AI LA MARQUE DE FAIRY TAIL !

TU AS EFFACÉ CE SOUVENIR POUR INFILTRER LE CONSEIL...

À L'ORIGINE, TU ES UN MEMBRE DE LA GUILDE...

JE TE L'AI DIT... T'ES LE GENRE DE TYPE...

QUI EST PRÊT À SE SACRIFIER POUR PROTÉGER LA GUILDE.

HEIN ?!

C'EST BIEN POUR ÇA QUE JE T'AVAIS DIT DE NE PAS EFFACER TES SOUVENIRS...

C'EST SAOULANT...

MAIS ALORS, ÇA VEUT DIRE QUOI, CE QUI EST ARRIVÉ SUR L'ÎLE DE TENRÔ ?! C'EST N'IMPORTE QUOI !

JE FAIS PARTIE DE FAIRY TAIL ?! J'AI EFFACÉ MES PROPRES SOUVENIRS POUR INFILTRER LE CONSEIL ?!

EUH... UNE MINUTE ! QU'EST-CE QUE ÇA VEUT DIRE ?!

LES GAMINS VONT SUIVRE CHACUN LEUR PROPRE ROUTE...

C'EST LA FIN D'UNE ÉPOQUE...

COMMENT ÇA ?

C'EST BON...

DE TOUTE FAÇON, C'EST FINI...

SÉRIEUX ?

JE CROIS QU'IL Y A QUELQU'UN...

CLAC

CA DOIT ÊTRE NATSU ET HAPPY...

!

VIDE

VOUS ÊTES ENCORE ENTRÉS CHEZ MOI SANS MON...

PLAF

WOUAH ! QU'EST-CE QUE C'EST MAL ÉCRIT !

?!

UNE LETTRE ?

HEIN ?

! JE PARS EN VOYAGE AVEC HAPPY POUR M'ENTRAÎNER.

ON SERA DE RETOUR DANS UN AN ENVIRON...

QU'EST-CE QUE ÇA VEUT DIRE ?!

À PLUS, LUCY !

NATSU ET HAPPY.

QUOI ?!

HEIN ?!

DIS AU REVOIR AUX AUTRES POUR NOUS !

TAP

S'ILS L'ONT FAIT...

S'ILS ONT FAIT ÇA...

PARTIR COMME ÇA, SANS PRÉVENIR ! QU'EST-CE QU'ILS ONT DANS LE CRÂNE ?

TAP

ENVOLEZ-VOUS, LES PETITS !

JE VAIS ÊTRE VACHEMENT PLUS FORT À MON RETOUR...

DÉSOLÉ, TOUT LE MONDE !

POUR TOUS VOUS PROTÉGER !

ESSAYE DE ME SURPASSER, NATSU...

JE VEUX DIRE : ETHERIAS NATSU DRAGNIR....

CHAPITRE 417 :
VOYAGE EN SOLITAIRE 2

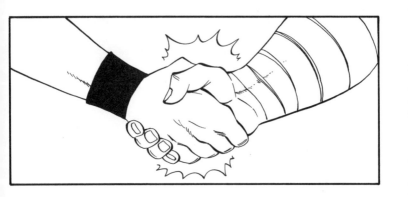

MMH
!

CHAPITRE 418 : LE CHALLENGER

UN AN
APRÈS LE
COMBAT
CONTRE
TARTAROS...

CROCUS,
LA CAPITALE,
EN L'AN X792

NOUS SOMMES
AU QUATRIÈME JOUR
DU GRAND TOURNOI DE
LA MAGIE ! AUJOURD'HUI
ENCORE, NOUS ALLONS
ASSISTER À D'ARDENTS
COMBATS
!

YOHO !

KRISERK DE **DULLAHAN HEAD** A FAIT PREUVE D'UNE FORCE ÉCRASANTE JUSQU'ICI !

QUEL SPECTACLE VA-T-IL NOUS OFFRIR AUJOURD'HUI ?

CELA PROMET UN COMBAT INTÉRESSANT !

IL EST OPPOSÉ À BERICK DE **DWARF GEAR** !

DING

KRISERK EST VRAIMENT UN MAGICIEN PUISSANT...

M. YAJIMA EST NOTRE CONSULTANT ! À QUOI VA-T-IL FALLOIR ÊTRE ATTENTIF ?

ON VA POUVOIR ÉCRIRE UN SUPER ARTICLE ! COOL !

TSOING

TSOING TSOING

COOL ! COOL ! COOL !

LUCY ! AUJOURD'HUI ENCORE, T'ES TROP COOL !

!

BONJOUR ! DÉSOLÉE D'ÊTRE EN RETARD !

IL Y A VRAIMENT BEAUCOUP DE MONDE...

ÇA SE FINIRA PEUT-ÊTRE RAPIDEMENT PAR UNE ÉCRASANTE VICTOIRE DE KRISERK !

PAS ENCORE, MAIS BIENTÔT !

LE COMBAT A DÉJÀ COMMENCÉ ?

ÇA VA FAIRE UN AN...

COOL !

ALLEZ ! JE VAIS FAIRE MON ARTICLE DANS LA JOIE ET LA BONNE HUMEUR !

QUE JE TRAVAILLE COMME JOURNALISTE (STAGIAIRE) AU "WEEKLY SORCERER".

ET LE LENDEMAIN, ON NOUS A ANNONCÉ LA DISSOLUTION DE LA GUILDE.

HAPPY ET NATSU SONT PARTIS EN VOYAGE SANS PRÉVENIR...

MAIS LES AUTRES ONT COMMENCÉ À SUIVRE CHACUN LEUR VOIE...

JE NE POUVAIS PAS L'ACCEPTER ET JE SUIS RESTÉE UN MOMENT À DÉPRIMER, SANS RIEN FAIRE.

ILS SONT TOUS ALLÉS DE L'AVANT...

ILS AVAIENT PEUT-ÊTRE COMPRIS LA VÉRITABLE VOLONTÉ DU MAÎTRE...

HOURRAAAA

YOHO !

C'EST À CE MOMENT-LÀ QUE M. JASON M'A PROPOSÉ DE TRAVAILLER...

JE ME SUIS DIT QUE JE DEVAIS AUSSI TROUVER MA VOIE...

MERCI !

JE VAIS RÉDIGER L'ARTICLE ET FAIRE LA MISE EN PAGE...

ET AUJOURD'HUI, J'EN SUIS LÀ !

SABER TOOTH, LAMIA SCALE ET MERMAÏD HEEL NE PARTICIPENT PAS...

LE GRAND TOURNOI DE CETTE ANNÉE N'EST PAS TRÈS EXCITANT...

ET FAIRY TAIL !

COMME BLUE PEGASUS ET QUATTRO CERBEROS...

GLOUPS

ET CETTE MARQUE SUR TA MAIN ?

C'EST PARCE QU'ELLE A ÉTÉ DISSOUTE...

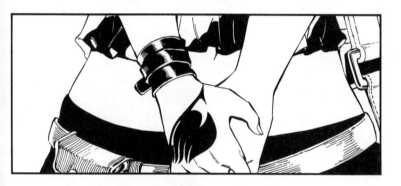

...

C'EST VRAIMENT DOMMAGE...

MAIS LA GUILDE A ÉTÉ DISSOUTE...

CELA FAIT UN AN QUE JE N'AI CONTACTÉ PERSONNE...

J'AI TROP DE TRAVAIL...

LES AUTRES ONT PRIS UNE NOUVELLE DIRECTION...

EN FAIT, CE N'EST QU'UN PRÉ-TEXTE...

JE N'AI PEUT-ÊTRE JUSTE PAS ENCORE ENVIE DE LES VOIR...

MMMH!

NON, C'EST FAUX...

JE VEUX LES VOIR...

JE VEUX LES VOIR, MAIS JE N'AI PAS LE COURAGE DE LE FAIRE...

BLOUPS
BLOUPS
BLOUPS

JE VEUX VOIR LES AUTRES !

EUH... DÉSOLÉE...

SILENCE, LA VOISINE !

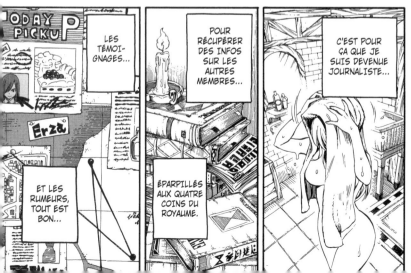

LES TÉMOIGNAGES...

POUR RÉCUPÉRER DES INFOS SUR LES AUTRES MEMBRES...

C'EST POUR ÇA QUE JE SUIS DEVENUE JOURNALISTE...

ET LES RUMEURS, TOUT EST BON...

ÉPARPILLÉS AUX QUATRE COINS DU ROYAUME.

BOC

SI JE POUVAIS RASSEMBLER TOUT LE MONDE...

OUI, MAIS QU'EST-CE QUE JE FERAI ENSUITE ?

FAIRY TAIL N'EXISTE PLUS...

C'EST PARTI !

AUJOURD'HUI ENCORE...

ALLEZ !

GO !

JE VAIS TOUT DONNER !

VOICI LE DERNIER JOUR DU GRAND TOURNOI DE LA MAGIE !

NOUS SAURONS BIENTÔT QUI EST LA MEILLEURE GUILDE DE FIORE !

OUAAAAAAH

OUAIS OUAIS OUAIS OUAIS

Victory Fight!! CRIXAR

ET FACE À EUX, LA GUILDE MIRACULÉE QUI A PROGRESSÉ DE RETOURNEMENT DE SITUATION EN RETOURNEMENT DE SITUATION...

SCARMI-GLIONE !

YO-HO !

LES FINALISTES SONT MENÉS PAR KRISERK À LA FORCE ÉCRASANTE...

DULLAHAN HEAD !

ET CES DEUX ÉQUIPES S'AFFRONTENT EN FINALE POUR REMPORTER LA VICTOIRE !

LES RÈGLES D'ÉLIMINATION SONT SIMPLES, ON PERD OU ON GAGNE...

PFOU...

...

ON VA POUVOIR ÉCRIRE UN SUPER PAPIER, LUCY !

COOL ! COOL ! COOL !

AH... LA BOUFFONNERIE...

REGARDE ! LA FINALE VA BIENTÔT COMMENCER !

AH ! DÉSOLÉE ! QU'EST-CE QU'IL Y A ?

LUCY !

C'EST VRAI QUE KRISERK EST FORT...

MAIS D'APRÈS MES NOTES ET MES OBSERVATIONS, LES MEMBRES DE SCARMIGLIONE SONT TOUS PLUS FORTS...

JE SUIS SÛRE QUE CHACUN D'ENTRE EUX A UNE MAGIE BIEN PLUS PUISSANTE QUE CELLE DE KRISERK ET QU'ILS L'ONT CACHÉE JUSQU'À MAINTENANT.

C'EST PAS UNE BOUFFONNERIE ! SCARMIGLIONE A REMPORTÉ TOUTES SES VICTOIRES GRÂCE À DES RETOURNEMENTS DE SITUATION !

C'EST UNE BOUFFONNERIE...

SI ÇA SE TROUVE, CETTE FOIS... NON... ATTENDS...

QUOIIIIIII ?!

TSOING

TSOING TSOING

ILS ONT JUSTE VOULU FAIRE MONTER LEUR COTE CHEZ LES PARIEURS...

HEIN ?

C'EST SCARMIGLIONE QUI L'EMPORTE !

HOUR RAAAA

C'EST UNE VICTOIRE ÉCRASANTE !

BON SANG ! BON SANG !

ÇA, C'EST UNE SURPRISE !

HOURRAAAA

COOOOOL !

ON A TOUCHÉ LE PACTOLE ♡

SCARMIGLIONE EST LA MEILLEURE GUILDE DU ROYAUME !

ON A BIEN JOUÉ...

HÉ HÉ...

SCARMIGLIONE L'EMPORTE !

AVEC UNE COTE DE 1 CONTRE 100 !

OH !
MAIS IL Y A
DE L'AGITATION
DANS L'ARÈNE...

QU'EST-
CE QUE...
?

BLA

C'EST VRAI QU'ILS
SONT FORTS... MAIS
SI C'EST ÇA, LA
MEILLEURE GUILDE
DU ROYAUME...

BIEN JOUÉ,
LUCY ! T'AVAIS
VU JUSTE
!

PFOU...

T'ES QUI,
PAUVRE NAZE
?

UN ÉTRANGE
PERSONNAGE
VIENT D'ENTRER
DANS L'ARÈNE
!

?!

BLA

MAIS
QUE SE
PASSE-T-IL
DONC
?!

BLA

UN
INTRUS
?!

HEIN
?!

C'EST UNE MAGIE
SUPER PUISSANTE !
IL FAUT ÉVACUER
TOUT LE MONDE,
VITE
!

CETTE
SENSATION...

BEN... NATSU VOULAIT À TOUT PRIX...

AFFRONTER LES VAINQUEURS DU GRAND TOURNOÏ...

QU'EST-CE QUE... ?

HAPPY ?!

ILS SONT DÉJÀ TOUS DANS UN SALE ÉTAT...

QUE QUELQU'UN ARRÊTE CE TYPE !

OUAIIIIIIS

OTAKU

VENEZ !

JE VOUS ATTENDS TOUS !

WOUAH ! ÇA FAIT UN BAIL...

LUCY !

QUE FAIRY TAIL N'AVAIT PAS ENCORE DISPARU...

À CET INSTANT, UNE PETITE VOIX EN MOI M'A SOUFFLÉ...

TU VAS BIEN ?

CHAPITRE 419 : MESSAGE DE FEU

ÉDITION SPÉCIALE | Weekly Sorcerer

COOOOOOOOOL ! LE GRAND TOURNOI DE LA MAGIE DE CETTE ANNÉE NOUS A RÉSERVÉ UNE SURPRISE SANS PRÉCÉDENT ! JUSTE AU MOMENT OÙ ON ALLAIT CÉLÉBRER LA VICTOIRE DE SCARMIGLIONE, UN HOMME EN CAPE NOIRE EST ENTRÉ DANS L'ARÈNE ET A DÉFIÉ LES MEMBRES DE LA GUILDE ! IL A VAINCU TOUS LES MAGES PRÉSENTS AVEC UNE ATTAQUE DE FEU SURPUISSANTE ! COOOOOL ! CET HOMME N'ÉTAIT AUTRE QUE NATSU DE FAIRY TAIL, LA GUILDE SOUDAINEMENT DISSOUTE, IL Y A UN AN ! COOOOL ! CE MOMENT A ÉTÉ LE PLUS "COOOOOOOL DE L'ANNÉE !! (REPORTAGE ET RÉDACTION : JASON)

IRRUPTION DE NATSU DRAGNIR ! IL BAT TOUS LES MEMBRES DE SCARMIGLIONE, LES VAINQUEURS DU TOURNOI, D'UN SEUL COUP !

COOL !

LE GRAND TOURNOI DE LA MAGIE : LE CHAMPION DE CETTE ANNÉE EST UN FIRE-BOY SANS GUILDE !

CROCUS, AN X792...

LE PALAIS MERCU-RIUS...

IL EST... ACQUITTÉ ?

LE LIBÉRER ?

OUI...

...

ÇA A MIS DE L'AMBIANCE !

IL A PERTURBÉ LE GRAND TOURNOÍ DE LA MAGIE ET A À MOITIÉ DÉTRUIT L'ARÈNE...

¿ VOTRE MAJESTÉ !

HI HI !

OUAIP !

ET QU'ON NE VOUS REVOIT PLUS !

TU AS ÉTÉ VITE LIBÉRÉ...

POURQUOI FAIRY TAIL NE PARTICIPAIT PAS ?

TU REGARDAIS LE TOURNOI EN TOURISTE, TOUTE SEULE ?

LUCY !

?

QUE VOUS N'ÊTES PAS AU COURANT...

C'EST VRAI...

154

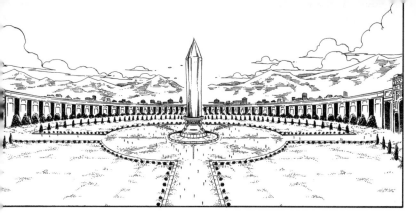

C'ÉTAIT LE LENDEMAIN DE VOTRE DÉPART...

POURQUOI ? POURQUOI ? POURQUOI ? POURQUOI ?

?

LA GUILDE A ÉTÉ DISSOUTE ?

BEUUUH

POURQUOI ELLE A ÉTÉ DISSOUTE ?

OÙ IL EST, LE VIEUX ?

ÇA, JE NE SAIS PAS TROP...

...

JE VAIS L'ÉCLATER ! NON... JE VAIS LUI ARRACHER LES CHEVEUX !

LAISSE-LUI SA MOUSTACHE, QUAND MÊME...

ILS ONT TOUS PRIS UNE VOIE DIFFÉRENTE...

ET LES AUTRES ? ERZA ? GREY ? ET PUIS...

LE MAÎTRE A DISPARU...

VA SAVOIR...

ÇA DÉRANGE PERSONNE QUE LA GUILDE N'EXISTE PLUS ?!

JE... JE LE CROIS PAS...

TU CROIS QUE T'ES BIEN PLACÉ POUR DIRE ÇA, NATSU ?

BEN, OUI ! MÊME SI LE VIEUX A DIT QUE LA GUILDE ÉTAIT DISSOUTE, IL FALLAIT RÉSISTER !

LUXUS AURAIT PU ÊTRE LE NOUVEAU MAÎTRE !

APRÈS TOUT, TU N'AS PAS PENSÉ À LA GUILDE...

TU ES PARTI SANS RIEN DIRE À PERSONNE...

HEIN ?

...

TOI ET HAPPY, VOUS AVIEZ SÛREMENT PLEIN DE CHOSES EN TÊTE...

DÉSO-LÉE...

EUH...

157

C'EST AUSSI SÛREMENT LE CAS POUR LE MAÎTRE ET TOUS LES AUTRES...

C'EST À CÔTÉ DE MON TRAVAIL...

C'EST CHEZ TOI, LUCY ?!

TU HABITES À CROCUS ?

VOUS NE CASSEZ RIEN ET VOUS N'ALLEZ PAS DANS MA CHAMBRE !

GODDESS LUCY !

WOUAH ! T'ES UNE VRAIE DÉESSE !

J'Y PENSE, VOUS N'AVEZ NULLE PART OÙ DORMIR... JE VAIS VOUS HÉBERGER !

ÇA FAIT DU BIEN...

TU VIENS AVEC NOUS, LUCY ?

SÛRE- MENT PAS

HOMARD ...

WOUAH ! C'EST MIEUX COMME ÇA...

QU'EST-CE QUE JE VIENS DE DIRE, SALE MATOU ?!

HA HA HA HA HA

SCRITCH SCRITCH SCRITCH SCRITCH

HA HA HA !

ET LÀ...

159

HAHAHAHAHA

ÇA FAISAIT LONGTEMPS...

QUE JE N'AVAIS PAS VÉCU ÇA...

SILENCE, LA VOISINE !

HAPPY...

OUAIP...

ALLEZ !

OMPF..

LA GUILDE A VRAIMENT DISPARU ?

J'ARRIVE PAS À LE CROIRE....

J'AI DÉJÀ PRÉPARÉ LES FEUTRES !

ON VA DESSINER DES TRUCS SUR LE VISAGE DE LUCY PENDANT QU'ELLE DORT !

C'EST PARTI !

FAUT PAS LA RÉVEILLER, NATSU...

HIN HIN HIN... ELLE DORT...

C'EST QUOI, ÇA ?

HEIN ?

C'EST LÀ OÙ SONT TOUS LES AUTRES...

LUCY...

ELLE A TOUT NOTÉ AVEC PRÉCISION...

IL Y A DES TÉMOIGNA-GES ET DES DATES...

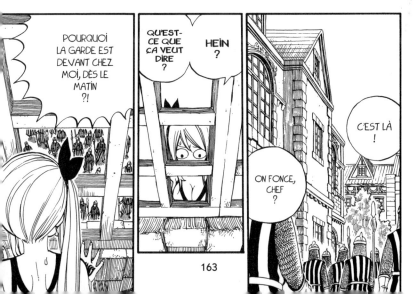

POURQUOI LA GARDE EST DEVANT CHEZ MOI, DÈS LE MATIN ?!

QU'EST-CE QUE ÇA VEUT DIRE ?

HEIN ?

C'EST LÀ !

ON FONCE, CHEF ?

POURQUOI TU M'EM-MÈNES ?

JE VEUX DIRE... POSE-MOI !

TAP

YAAAAAAAH

J'AI ALLUMÉ LE SIGNAL DE LA RENAISSANCE DE FAIRY TAIL !

HÉ HÉ !

QU'EST-CE QUE T'AS FAIT, NATSU ?!

JE SUIS SÛR QUE C'EST POSSIBLE !

C'EST BIEN BEAU DE DIRE QUE FAIRY TAIL EST DE RETOUR...

C'EST PAS LE PROBLÈME !

ON VA RÉUNIR TOUT LE MONDE...

ET FAIRE RENAÎTRE LA GUILDE !

VIENS AVEC NOUS !

OUAIS !

CHAPITRE 420 : LA FÊTE DE THANKSGIVING DE LAMIA SCALE

VILLAGE
DE TULY.

MAP

FIORE

VILLAGE
DE TULY

BEUH

ON VA
PASSER LA
NUIT ICI...

BEUH

OUAIP
!

QU'EST-CE
QU'IL Y A,
NATSU
?

ON VOIT LA DIFFÉRENCE ENTRE LE NOUVEAU ET L'ANCIEN, LÀ...

NATSU, C'EST L'HORLOGE QUE T'AVAIS DÉTRUITE, IL Y A LONGTEMPS...

ILS L'ONT RECONSTRUITE ! TANT MIEUX !

HUMM...

SURTOUT PAS !

PLAF

JE LA REDÉMOLIS ?

...

BEUH

EN RENTRANT, JE VOULAIS BOUSILLER GREY ET DÉFIER ERZA ET LUXUS !

Y A PAS ASSEZ D'ACTION ! JE ME SUIS POURTANT ENTRAÎNÉ POUR ÊTRE PLUS FORT !

QU'EST-CE QUE ÇA VEUT DIRE ?! MÊME LES VAINQUEURS DU GRAND TOURNOI N'ÉTAIENT PAS À LA HAUTEUR !

OH...

MOI AUSSI, JE ME SUIS ENTRAÎNÉE EN SECRET...

MAIS, EN FAIT...

NON !

VIENS TE BATTRE, LUCY ! JE ME CONTENTERAI DE TOI !

SI TU TE DONNES À FOND, JE NE FERAI PAS LE POIDS...

CLIC

MAIS ON PEUT SE FAIRE UN PETIT DUEL !

QUOI ?

TSAP

ATTENDS !

!

QUI EST AVEC EUX MAINTENANT ?

OUI...

ET DEVINEZ...

VILLE DE MARGUERITE.

POUR COMMENCER, LEON, LE CHAMPION DE LAMIA SCALE...

VOUS PRÉSENTE LA VALSE DE LA GLACE !

HOURRA

OUAIS

OUAIS

LAMIA SCALE

Thanks giving Day X792

OUAIS

OUAIS

HOUR

LA FÊTE DE THANKSGIVING DE LAMIA SCALE.

LAMIA SCALE

C'EST VRAIMENT UNE IMITATION ?

HEIN ?

IL S'IMITE LUI-MÊME ?

BOU-HOU...

BOU-HOU-HOU...

BOU-HOU-HOU...

ET MAINTENANT, LA DANSE ORIENTALE DE NOTRE MAÎTRE !

T'ÉNERVE PAS !

J'AI PAS ENCORE FINI !

EXCUSEZ-NOUS...

À SUIVRE

POSTFACE

L'histoire de Tartaros s'est terminée sans problème. À partir de ce volume, c'est un nouvel arc qui commence. Maintenant, je peux le dire : "Le Livre de Tartaros" devait durer plus longtemps. Il a été raccourci pour différentes raisons, mais il y a quand même trois adversaires qui ont disparu (pleure).

Luxus devait être mis plus en avant, c'est vraiment dommage.
Du coup, j'ai obtenu qu'il intervienne davantage dans le dessin animé.
Dans la nouvelle histoire, il aura un plus grand rôle, c'est sûr !

À propos, maintenant l'action se passe un an après
la dissolution de Fairy Tail et c'est passionnant d'écrire
en réfléchissant à ce qui a changé, ou pas.

Le livre de Tartaros comprenait de nombreux épisodes tristes et sombres,
mais pour ce nouveau chapitre, "l'espoir" est le thème principal.

J'ai décidé en gros de ce qui allait se passer ensuite, mais je tâtonne
aussi un peu pour dessiner. Je suis sûr qu'il y aura des épisodes d'enfer !
Ouais, ça va être génial ! J'ai hâte de voir ça !

J'y pense ! À propos de l'appartenance de Dranbalt à Fairy Tail,
beaucoup de gens m'ont dit que ça sentait l'arrangement de dernière
minute, mais c'était vraiment prévu depuis longtemps !

Je n'avais donné aucun indice dans ce sens et j'ai même hésité
à donner cette information. Du coup, c'est vrai que ça ressemble
un peu à un changement de dernière minute...